Fritzi en de verdwenen keeper

afgeschreven

Anneke Scholtens
Tekeningen van Juliette de Wit

1e druk 2008
ISBN 978.90.487.0057.8
NUR 286

© 2008 Tekst: Anneke Scholtens
Illustraties: Juliette Wit
Uitgeverij Zwijsen B.V. Tilburg

Voor België:
Zwijsen-Infoboek, Meerhout
D/2008/1919/362

Behoudens de in of krachtens de Auteurswet van 1912 gestelde uitzonderingen mag niets uit deze uitgave worden verveelvoudigd, opgeslagen in een geautomatiseerd gegevensbestand, of openbaar gemaakt, in enige vorm of op enige wijze, hetzij elektronisch, mechanisch, door fotokopieën, opnamen of enige andere manier, zonder voorafgaande schriftelijke toestemming van de uitgever. Voor zover het maken van reprografische verveelvoudigingen uit deze uitgave is toegestaan op grond van artikel 16 h Auteurswet 1912 dient men de daarvoor wettelijk verschuldigde vergoedingen te voldoen aan de Stichting Reprorecht (Postbus 3060, 2130 KB, Hoofddorp, www. reprorecht.nl).
Voor het overnemen van gedeelte(n) uit deze uitgave in bloemlezingen, readers en andere compilatiewerken (artikel 16 Auteurswet 1912) kan men zich wenden tot de Stichting PRO (Stichting Publicatie- en Reproductierechten Organisatie, Postbus 3060, 2130 KB Hoofddorp, www.cedar.nl/pro).

Inhoud

1. Gouden handen

'Nog tien dagen,' zegt Midas. Hij strooit een
dikke laag hagelslag op zijn boterham. 'En dan?'
vraagt Rens. 'Dan is de wedstrijd!' roept Frieda.
'O ja,' zegt Rens. Maar je kunt horen dat hij niet
weet waar het over gaat. 'Dan spelen Fortissimo
en Bonafida tegen elkaar!' zegt Midas. 'En dan
gaat Fortissimo winnen met 6-0.'
Rens kijkt zijn grote broer verbaasd aan. 'Hoe
weet je dat?' vraagt hij. 'Dat weet iedereen,' zegt
Midas. 'Nou ja, van dat winnen. Maar dat het
6-0 wordt, dat heb ik voorspeld. We hebben een
toto op school en die ga ik zeker winnen.'
'Mag jij mee voetballen?' vraagt Rens. Nu
beginnen Frieda en Midas samen te lachen. 'Nee
suffie,' zegt Frieda.
'Ik bén geen suffie!' roept Rens.
'Niet je kleine broertje plagen,' zegt Fritzi. 'Hij is
nog maar zes.'
'Al!' roept Rens. 'Ik ben ál zes!'
'Een toto is een lange lijst,' begint Midas,
'waarop iedereen schrijft wat hij dénkt dat
de uitslag wordt. Dus ik schrijf 6-0 omdat
Fortissimo supergoed is en Bonafida superslecht.
Die keeper van Bonafida kan er helemaal niets
van. Hij heeft al zoveel ballen door laten gaan.'
'Maar hij is wel ontzettend schattig,' zegt
Frieda. 'De vorige keer stond hij midden op het
voetbalveld te huilen toen ze verloren hadden.'

'Te huilen?' vraagt Rens. 'Is die keeper dan nog klein?'

'Ja, Pasternaak is een grote baby,' zegt Midas. Hij neemt een grote hap van zijn boterham. De hagelslag zit op zijn beide wangen. 'Heus niet!' roept Frieda. 'Het was toen ook hartstikke zielig, want ze hadden bijna gewonnen.'

'Bíjna?' vraagt Rens.

'Ja, het ging heel goed. Maar op het laatst maakten die anderen nog een doelpunt.'

'Dat was zijn schuld!' roept Midas. 'Wat een sukkel! Kijk dan eens naar Manelli van Fortissimo. Die heeft ooit één bal door laten gaan. Maar dat kwam omdat hij moest niezen.'

'Dat zal wel,' lacht Frieda. 'Echt!' zegt Midas. 'Het was óók een idioot moeilijke bal. Kijk!' Midas pakt het pak hagelslag en het kuipje boter. 'Die ene speler kwam van deze kant aanrennen met de bal.' Hij doet het voor met de hagelslag. 'En die andere kwam van opzij.' Nu schuift hij het kuipje boter naar voren. 'En toen stond Manelli hier.' Midas wijst naar het broodmandje. 'Hij wilde uit het doel komen, toen hij een niesbui voelde aankomen.'

'Hoe weet je dat nou weer?' lacht Frieda. 'Dat heeft hij zelf verteld!' zegt Midas. 'Het stond in alle kranten! Op de voorpagina!' Rens kijkt nog steeds naar de tafel. 'En ging de hagelslag toen gauw de bal erin schoppen?' vraagt hij. 'Nee, de boter!' zegt Midas. 'Die kwam heel gemeen van deze kant.' Frieda lacht. 'Slimme smoes van jouw

Manelli,' zegt ze.
'Maar het is waar! Manelli heeft gouden handen.
Hij houdt echt elke bal. Keihard of in de hoek,
maakt niet uit. Hij houdt ze allemaal.'
'Wie heeft er gouden handen?' vraagt Fritzi.
'Manelli van Fortissimo,' zegt Frieda. 'Hij houdt
alle ballen tegen behalve als hij moet niezen.'
'Waar is die wedstrijd eigenlijk?' vraagt Fritzi.
'Hier vlakbij!' roept Midas. 'Mogen we erheen?'
'Nee, die kaarten zijn verschrikkelijk duur,' zegt
Fritzi. 'Ik denk aan die arme agenten die erheen
moeten. Zouden ze weer gaan vechten?'
'Nee hoor, de aanhangers van Bonafida
schreeuwen een beetje aan het begin. Maar dan
wordt het meteen 1-0 en dan 2-0. Bij 3-0 zitten
ze alleen nog maar stilletjes te kijken. En wij
maar juichen!' 'Pfff,' lacht Frieda. 'Totdat jouw
Manelli weer moet niezen. Dan knallen wij er
zeven achter elkaar in.'
'Jongens, kijk eens naar de klok,' zegt Fritzi.
'Jullie moeten naar school!'
'En jij moet boeven vangen,' zegt Rens. Fritzi
voelt aan haar hals. Ze heeft het koordje met
sleutels niet omgedaan. Waar zou het nou weer
rondslingeren?
'Zoek je iets?' vraagt Frieda.
'Ja, mijn sleutels.'
Frieda kijkt haar moeder lachend aan. 'Zie je
niets, mam?' vraagt Rens. Fritzi kijkt van de een
naar de ander. Ze is soms een beetje verstrooid.
Waar zou ze haar sleutels nu weer gelegd hebben?

'Hoor je niets, mam?' vraagt Frieda nu. En dan
ziet Fritzi het opeens. Frieda heeft ze om! 'Ze
lagen in het broodmandje, mam,' lacht Frieda.
'Vond ik niet zo'n goeie plaats.' 'Nee,' zegt Fritzi.
'Ik zat even te dromen, daardoor komt het.'
Snel brengen ze alle ontbijtspullen naar de
keuken en dan vertrekken ze. Midas springt op
zijn fiets. 'Ik zou die 6-0 maar doorkrassen!'
roept Frieda hem na. 'Eén niesje en je hangt!'
Midas zwaait vrolijk naar haar. 'Gouden handen!'
roept hij nog, dan scheurt hij de straat uit.

2. De gele Waspa

Fritzi rijdt naar bureau Raamgracht. Daar werkt
ze. Ze denkt aan de wedstrijd. Zouden er wel
genoeg agenten zijn? De meeste hebben geen zin
in geruzie en gezeur. Die willen liever gewoon
kijken.
Als ze naar binnen loopt, groet Fritzi Eddy de
portier. Ze wil snel doorlopen, maar Eddy wenkt
haar. 'Doe je mee aan onze toto?' vraagt hij. Hij
schuift een papier onder Fritzi's neus. Er staan
al veel uitslagen op. Sommige agenten denken
dat Fortissimo wint, andere zijn voor Bonafida.
'Geef maar hier,' zegt Fritzi. Ze vult 6-0 voor
Fortissimo in. '6-0?' lacht Eddy. 'Natuurlijk,' zegt
Fritzi. 'Manelli heeft gouden handen, dat weet
iedereen. Als het maar niet gaat waaien.' 'Ha, ha,'
lacht Eddy. 'Want dan waaien de ballen er zeker
vanzelf in.'
'Nee, dan moet hij niezen,' fluistert Fritzi. 'En
dan kan hij geen bal tegenhouden.'
'Jij bent goed op de hoogte,' zegt Eddy. 'Maar
6-0 halen ze nooit.'
Even later zit Fritzi op haar kamer. Eerst maar
eens de stapel post doorkijken. Dan wordt er op
de deur geklopt. Het is Eddy. 'Hoog bezoek,'
zegt hij. Hij knippert met zijn ogen en zijn
wangen zijn vuurrood. Wie kan dat zijn? De
koningin misschien? 'Manelli,' fluistert Eddy
en meteen staat er een kleine, brede man achter

12

hem. Hij knikt naar Fritzi. Fritzi's ogen gaan meteen naar Manelli's handen. Dan naar zijn neus, de neus die niet mag niezen. En dan naar haar raam, dat openstaat. Ze springt op om het te sluiten. 'Sorry,' zegt ze. 'Ik voelde opeens een tochtstroom langs mijn nek. Komt u binnen, gaat u zitten. Wilt u een sjaal misschien?' Manelli kijkt haar verbaasd aan. 'Liever een kopje koffie,' zegt hij. 'Sterk graag, niet zo'n slappe bak.'

'Maar natuurlijk.' Fritzi belt naar Eddy. 'Twee zwarte koffie graag.' Het is alsof Eddy al met die twee koffie op de gang stond. In elk geval staan de kopjes pijlsnel voor Fritzi's neus. 'Alles verder in orde?' vraagt Eddy. Hij wrijft in zijn handen. Hij blijft naast Manelli's stoel staan. Hij wil natuurlijk weten wat er aan de hand is.

'Je kunt gaan, Eddy,' zegt Fritzi.

Zodra de deur dicht is, begint Manelli snel te praten. Hij friemelt telkens aan zijn witte sjaal. MANELLI staat er in grote rode letters op.

'Ze achtervolgen me,' zegt hij. Gejaagd kijkt hij over zijn schouder alsof hij denkt dat daar iemand staat. 'Wie precies?' vraagt Fritzi.

'Wist ik dat maar!' roept Manelli. 'Een gele Waspa rijdt achter me aan, overal waar ik naartoe ga.'

Fritzi pakt haar balpen en schrijft:

Een gele Waspa zit achter Manelli aan.

'Het zijn wel heerlijke auto's,' zegt ze. 'Ik heb zelf ook een Waspa. Ze trekken lekker snel op.'

'Wat kan mij dat schelen,' briest Manelli.

13

'Sorry.' Fritzi knabbelt op haar pen. Stom van haar om daarover te beginnen! 'Gaat u verder. Hoeveel mensen zitten er in die Waspa?' Bijna had ze ook nog gezegd hoe ruim de Waspa's zijn. Dat er zonder probleem vijf mensen in passen. Maar net op tijd klemt ze haar lippen op elkaar. 'Dat kon ik niet precies zien,' zegt Manelli. 'Ik denk twee.'

'En ze volgen u overal?'

'Ja, vijf dagen geleden bleven ze voortdurend aan mijn bumper kleven. Ik kon ze niet van me afschudden. Ik ging de kronkeligste straatjes in. Op het laatst reed ik keihard over een smalle dijk met veel bochten. Dat was nogal gevaarlijk! Ik had er zomaar vanaf kunnen rijden. Het duurde een uur voordat ik ze kwijt was. Het zweet stond in mijn handen, echt waar.'

Fritzi knikt. Ze ziet het haarscherp voor zich. Die gele Waspa over die smalle dijk. Met een Waspa ga je zo soepel door de bocht. Dan is het makkelijk om iemand te volgen.

'En vanmorgen reden ze me bijna klem,' zegt Manelli. 'Het scheelde niets! Ik reed in de tunnel onder het Aagdiep. Kent u die tunnel?'

'Niet goed,' zegt Fritzi.

'De weg is daar héél smal. Die Waspa haalt me in en komt doodleuk naast me rijden.'

'Toen kon u zien wie erin zat!' roept Fritzi. Ze houdt haar pen al klaar om het op te schrijven.

'Natuurlijk niet!' snauwt Manelli. 'Ik ga toch zeker niet in zo'n smalle tunnel opzij kijken! Dan

14

krijg je pas echt een botsing.'

'En wat gebeurde er?' vraagt Fritzi. 'Toen kwam
het allerengste,' piept Manelli. Straks begint hij te
huilen, denkt Fritzi. Zelfs stoere voetballers doen
dat regelmatig. Frieda zei het vanmorgen nog.
'Die Waspa ging steeds verder opzij,' jammert
Manelli. Hij pakt zijn koffiekopje en dat van
Fritzi om het voor te doen. 'Hij drukte mij bijna
tegen de tunnelwand. Kijk!' Manelli laat Fritzi's
kopje inhalen. Zijn eigen kopje schuift hij tegen
de fotolijst op Fritzi's bureau.
'Bijna, maar niet helemaal?' vraagt Fritzi.
'Nee, anders zou ik hier niet zitten!' roept
Manelli. 'Gelukkig waren we juist aan het einde
van die tunnel. Toen ging die gele Waspa er als
een speer vandoor.'
Fritzi kauwt op haar pen. Misschien is die arme
Manelli zenuwachtig voor de wedstrijd. Alles
hangt van hem af. Misschien werd hij niet echt
gevolgd door een Waspa. Misschien dácht hij het
alleen maar. Dat moet ze uitzoeken.
'Slaapt u goed?' vraagt ze.
'Nee, sinds ik telkens die Waspa achter me heb,
lig ik vaak wakker!'
'Denkt u veel aan de wedstrijd?' probeert Fritzi.
'Iedereen zal straks naar u kijken. Ik weet dat u
geweldig bent. U heeft maar één bal doorgelaten,
maar ...'
'Altijd maar die ene bal,' roept Manelli kwaad.
'Altijd gaat het daarover! En nooit over die
honderd andere die ik allemaal gestopt heb!'

'Ja, ook die honderd andere,' zegt Fritzi snel. 'Dat wilde ik juist zeggen.'

'Weet u hoe het komt dat ik die ene door liet gaan?' Maar voordat Fritzi kan knikken, gaat Manelli verder. 'Ik moest niezen! Gewoon zo'n stomme kriebel in mijn neus! Alsof ik de enige ben, die soms moet niezen. Hoe kan je een loeiharde bal stoppen met dichtgeknepen ogen! Vertelt u me dat eens!'

'Dat is onmogelijk!' roept Fritzi. 'Ik begrijp het helemaal. Maar dat wilde ik juist zeggen! U bent beregoed. U hoeft zich geen zorgen te maken. U kunt gewoon lekker slapen!'

'Met zo'n gele Waspa aan mijn staart zeker?' zegt Manelli. Hij praat weer iets rustiger. 'Ik weet niet wat de bedoeling is, maar ik vind het niet prettig.'

'U denkt dat iemand u kwaad wil doen?' vraagt Fritzi. 'Dat is overduidelijk!' roept Manelli. 'Terwijl ik goed moet uitrusten voor de wedstrijd!' Fritzi knikt. Die man is niet op andere ideeën te brengen. Hij is ervan overtuigd dat er iemand achter hem aan zit. 'Als u weer gevolgd wordt, moet u mij bellen,' zegt ze. 'Dan kom ik meteen. En dan zal ik uitzoeken wie er in die gele Waspa zitten. Wat denkt u daarvan?'

'Prima plan,' zegt Manelli. 'Zal je zien dat die Waspa zich vanaf nu schuil houdt.'

'Ik heb één laatste vraag,' zegt Fritzi. Ze schuift een leeg vel papier naar Manelli toe. 'Zou u hier uw handtekening willen zetten? Voor mijn zoon?

Hij vindt u de beste keeper ter wereld.' Manelli lacht. Hij pakt Fritzi's pen en tekent. Dan kan Fritzi zijn handen echt goed zien. Dat goud ziet ze niet meteen. Maar wat zijn ze groot! Echte joekels!

3. Vergif in het eten?

Fritzi rekt zich uit achter haar bureau. Het is
drie dagen geleden dat Manelli bij haar kwam.
Ze heeft niets meer over de gele Waspa gehoord.
Geen wonder. Dat verwachtte ze ook niet. Arme
Manelli. Iedereen zou toch spoken gaan zien
voor zo'n belangrijke wedstrijd! Het hele land
zit straks voor de televisie. En als je dan een bal
doorlaat …
Er klinkt een korte klop. Eddy steekt zijn hoofd
naar binnen. 'Hij is weer hier,' zegt hij. Fritzi
weet meteen wie Eddy bedoelt. Dat ziet ze aan
de blosjes op zijn wangen. Maar wat vreemd!
Manelli zou toch bellen als de Waspa hem weer
volgde?
Daar staat Manelli al in haar kamer. Hij ziet er
vreselijk slecht uit. 'Het is een ramp,' klaagt hij.
'Gaat u zitten,' zegt Fritzi. Ze kijkt snel opzij
naar haar raam. Deze keer zit het potdicht.
'Wat is er aan de hand?' vraagt ze. 'Een
regelrechte ramp!' zegt Manelli weer. 'Iemand
heeft mijn eten vergiftigd. Ik weet het zeker. Ik
heb twee dagen in bed doorgebracht. Ik heb
liggen kronkelen van de buikpijn.'
'Heeft u een warme kruik geprobeerd?' vraagt
Fritzi. Geen twijfel mogelijk: deze man wordt
gek van de zenuwen. Hij krijgt er zelfs buikpijn
van! 'Een warme kruik,' herhaalt Manelli. 'Dat
helpt toch niet als je vergiftigd bent? Ik heb

liggen overgeven. Bijna over mijn sjaal! Die heeft mijn moeder gebreid. Stel u dat eens voor! Die groene smurrie met gele stukjes en …'

'Duidelijk,' zegt Fritzi gauw. Ze begrijpt het helemaal. Ze kan echt wel ergens tegen, maar dit soort verhalen vindt ze nooit prettig. Daar gaat zelfs háár maag van draaien.

'Ik heb uren op de wc gezeten,' gaat Manelli verder. 'En wat daar uiteindelijk te zien was, wilt u niet weten.'

'Inderdaad niet!' zegt Fritzi. Nou moet die Manelli toch echt ophouden. 'U was ziek, begrijp ik. U voelde zich niet lekker.'

'Niet lekker? Ik ging bijna dood! Ik dacht dat mijn darmen uit mijn lijf spoten.'

'Waar hebt u gegeten?' vraagt Fritzi snel. 'Ik bedoel in de dagen voordat u ziek werd.'

'Overal,' zegt Manelli. 'In de kantine van Fortissimo, bij vrienden, in een restaurant.'

'Waar kan het gebeurd zijn?' vraagt Fritzi. 'Niet bij Fortissimo zou ik denken.'

'Je weet die dingen nooit zeker,' zegt Manelli. 'Misschien bestaat er iemand, die mij liever niet tussen de doelpalen ziet staan.'

'Hoezo?' roept Fritzi uit. 'U heeft toch gouden handen?'

'Misschien wil die persoon graag dat onze tegenstander Bonafida gaat scoren. Of misschien wil hij zelf keepen. Dat is allemaal mogelijk.'

'En dat restaurant?' vraagt Fritzi. 'Komt u daar vaak?'

'Bij De Zilveren Bal?' vraagt Manelli. 'Daar kom ik héél vaak! Net als alle andere voetballers. Ze hebben zelfs een pizza naar mij genoemd. Pizza Manelli. Dat is de lekkerste pizza die er bestaat! Die neem ik altijd!'

'Aha,' zegt Fritzi. 'Dus ze wisten wat u ging bestellen?'

'Jazeker! Ze stoppen zo'n ding in de oven zodra ze me binnen zien komen!'

'Met een vleugje vergif erin,' zegt Fritzi. Ze knijpt haar ogen tot spleetjes. 'Dat is zonneklaar.'

'Bijzonder gevaarlijk om altijd hetzelfde te nemen! Dan wordt het toch een makkie om u wat gif te geven?'

Nu kijkt Manelli een beetje somber. 'Denkt u dat echt?' vraagt hij. 'Het is overduidelijk!' zegt Fritzi. 'U moet de ober altijd laten voorproeven. Als hij dat niet aandurft, weet u genoeg!' Manelli knikt. 'Dat zal ik voortaan doen,' zegt hij. 'Maar die boeven verzinnen nu natuurlijk weer wat anders. Eerst probeerden ze me klem te rijden. Toen stopten ze gif in mijn eten. Wat zal hun volgende plan zijn?'

'Misschien proberen ze nog een keer hetzelfde,' zegt Fritzi. 'Om te beginnen gaat u vanavond weer bij De Zilveren Bal eten.'

'Ik ben niet gek!' roept Manelli uit.

'Nee, wacht nou,' zegt Fritzi. 'U bestelt een pizza Manelli, maar u heeft al gegeten. U heeft geen honger meer.'

Manelli blijft Fritzi aankijken. Hij begrijpt er

niets van. 'De pizza Manelli stopt u in een plastic zak. Die overhandigt u aan mij. En ik laat die pizza onderzoeken.'

Nu kijkt Manelli opeens veel vrolijker. 'Dat is goed bedacht,' zegt hij. 'Buitengewoon slim. Dat doen we!'

'Vanavond dus,' zegt Fritzi. 'Ik ben er ook met mijn kinderen. En wij zullen voortdurend om ons heen kijken.'

4. De Zilveren Bal

Die avond trekken Midas, Frieda en Rens hun mooiste kleren aan. 'Gezellig mam,' zegt Frieda. 'Hebben we iets te vieren?'
'Niet echt,' zegt Fritzi. 'We moeten een beetje opletten daar.'
'Volgens mij komen alle beroemde voetballers in dat restaurant,' zegt Midas. 'Dat heb ik wel eens gehoord.'
'Zou Pasternaak er ook zijn?' vraagt Frieda. 'Dan ga ik wat anders aantrekken, hoor.' 'Wat dan?' vraagt Rens. 'Een voetbalbroek,' lacht Midas. Frieda steekt haar tong uit.

In De Zilveren Bal zitten heel veel mensen. Dat zien ze al vanaf de stoep. Frieda tikt Midas aan. 'Heb je dat gezien?' wijst ze. Op het raam hangt een briefje. *Keukenhulp gezocht.* 'Niets voor jou?' Maar Fritzi heeft haast. Ze duwt de deur open en loopt naar een leeg tafeltje achterin. Er staat een bordje op met GERESERVEERD. 'Ik wil graag daar zitten,' zegt Fritzi. Ze wijst naar de stoel in de hoek. Van daaruit kan ze het beste in de keuken kijken.
'Kijk, daar loopt Kilaan! Dat is de aanvoerder van Bonafida,' roept Midas. 'Ssst,' doet Fritzi. 'Je moet heel zachtjes praten. En je kijkt naar iemand vanuit je ooghoeken.' Rens oefent meteen hoe dat moet. 'Je kijkt scheel!' lacht

Frieda. 'Kijk, mama bedoelt dit.' Frieda draait
haar ogen zo ver mogelijk opzij. 'Hé, daar is
Pasternaak!' schreeuwt ze. 'Stil toch!' sist Fritzi.
'Ik mag hier absoluut niet opvallen. Ik moet mijn
werk doen, snap je?'
'Ja mam,' zegt Frieda. 'Maar ik zag Pasternaak.
Als hij hier straks langsloopt, kan ik hem
aanraken.'
'Geef je hem dan een duw?' vraagt Rens.
'Dat vindt mama niet goed,' lacht Frieda. Daar
komt de ober al. Ze bestellen allemaal een pizza.
Doet u mij maar een pizza Manelli,' zegt Fritzi.
De ober kijkt haar verschrikt aan. 'Die wordt
alleen voor de meester gebakken, ik bedoel
voor meneer Manelli zelf,' zegt de ober. 'Dat
vermoedde ik al,' mompelt Fritzi.
'U kunt kiezen uit twintig andere pizza's,
mevrouw. Hier staan ze keurig onder elkaar.'
De ober wijst naar de menukaart die op tafel
staat. 'Dank u wel,' zegt Fritzi. Zij weet genoeg.
De pizza Manelli wordt alleen voor meneer zelf
gebakken. Natuurlijk, met vers vergif erin.
Als de pizza's komen, bekijkt Fritzi ze van alle
kanten. 'Wilt u van onze pizza's een hapje
nemen?' vraagt ze aan de ober. 'Nee!' roept Rens.
'Ik wil hem helemaal zelf!'
'Een klein hapje,' zegt Fritzi streng. Verbaasd
kijkt de ober rond.
'Als u dat wilt,' zegt hij. 'Ik krijg reuzehonger
van dat heen en weer lopen, dus …' Eerst
neemt hij een stukje van Fritzi aan. Dan van

Midas en Frieda en dan een piepklein stukje van Rens. Glimlachend knabbelt hij erop. 'U zult ze heerlijk vinden,' zegt hij. 'Wij hebben de allerbeste kok van de stad. Eet smakelijk!' Dan vertrekt hij.

'Waarom moest dat?' vraagt Rens. Hij kijkt nog steeds boos. 'Denk je dat er vergif in zit?' vraagt Frieda. 'Je weet het nooit zeker,' zegt Fritzi. Misschien hebben ze hier allang door dat zij inspecteur Fritzi is. En dat zij de zaak van Manelli onderzoekt. Gauw een beetje vergif in die pizza en klaar zijn ze. Maar dan kennen ze Fritzi nog niet! Tevreden neemt ze een hap. 'Eet lekker, jongens,' zegt ze.

Telkens kijkt Fritzi opzij. Ze ziet de kok de pizza's in de oven schuiven. Die man heeft het snikheet. Ook kan ze goed bekijken hoe de hulpjes bezig zijn met groenten snijden. Hola, daar valt een sliert tomaat op de grond. Het hulpje raapt het op en drukt het zomaar op de pizza. Ze hebben hier geen vergif nodig om mensen ziek te maken! denkt Fritzi. Bah, wat vies! En hatsjoe! daar krijgt het andere hulpje een niesbui. Flatsj, zo over de pizza heen. Met een onschuldig gezicht geeft hij hem aan de kok. En hopsa, pijlsnel verdwijnt de pizza de oven in. Geen wonder dat ze een nieuwe keukenhulp zoeken!

'Friedje, zullen wij even van plaats ruilen?' vraagt Fritzi. Verbaasd kijkt Frieda haar moeder aan. 'Maar mam, je wilde toch juist …'

'Ik heb genoeg gezien,' zegt Fritzi. Als ze op

Frieda's stoel zit, komt Manelli binnen stappen.
Naast hem loopt zijn vrouw. Manelli kijkt
recht voor zich. Hij ziet Fritzi wel zitten, maar
hij begroet haar niet. Dat heeft Fritzi duidelijk
gezegd. Niemand mag weten dat ze elkaar
kennen.
Een kwartier later heeft Manelli een pizza voor
zijn neus. Snel kijkt hij opzij naar Fritzi en
trekt een plastic zak tevoorschijn. Hij spreidt
hem open tussen zijn benen, terwijl hij vrolijk
doorpraat met zijn vrouw. En dan … floep! zit
de pizza in de zak. Dat deed hij razendsnel! Die
man heeft echt gouden handen. Hij stopt niet
alleen alle ballen, hij tovert ook pizza's in plastic
zakken!
'En daar heb je Blokhoofd!' zegt Frieda tegen
Midas. Midas kauwt rustig verder.
'Wie is Blokhoofd?' vraagt Fritzi. 'De tweede
keeper van Fortissimo,' zegt Midas. 'Maar die
kan er helemaal niets van. Als Manelli ziek
wordt, moet hij hem vervangen. Dan ga ik niet
eens kijken! Die man laat zoveel ballen door!'
Fritzi doet alsof ze iets opraapt. Terwijl ze zich
bukt, kijkt ze stiekem naar Blokhoofd. Dus dat
is de tweede keeper van Fortissimo. Hij mag
invallen als Manelli niet kan. Als Manelli een
ongeluk krijgt met zijn auto. Of als Manelli
van de buikpijn in bed ligt te kronkelen. Fritzi
bekijkt hem nog eens goed. Hij ziet er aardig uit,
maar dat zegt niets. Je kunt niet aan iemands
neus zien of hij een boef is.

Als Fritzi opstaat om naar huis te gaan, staat Manelli ook op. Hij doet alsof hij naar de wc moet.

Hij loopt vlak langs Fritzi. Zo onopvallend mogelijk geeft hij haar de plastic zak. Er stijgt een lekkere geur uit op van rozemarijn en andere Italiaanse kruiden. Natuurlijk, denkt Fritzi, ook een pizza met vergif kan lekker ruiken.

5. Waar is Manelli?

Maar twee dagen later ligt er een briefje op
Fritzi's bureau. *Pizza was oké. Geen spoor van
vergif. Wel bijzonder lekker. (Heb hem zelf maar
opgegeten). Groeten, Jos van het lab.*
Dus het gebeurde niet in het restaurant, denkt
Fritzi. Of, ze hadden me door bij De Zilveren
Bal. Misschien lag er eerst wél een pizza met
vergif klaar. Misschien hebben ze gauw een
andere gebakken zodra ze merkten dat ik oplette.
Zo kán het gegaan zijn.
Dan gaat de telefoon. Verstrooid neemt Fritzi op.
'Met Duivendak hier,' klinkt het gejaagd. 'We
zijn Manelli kwijt!' Fritzi schiet meteen rechtop.
'Wie bent u?' vraagt ze. 'Ik ben de aanvoerder
van Fortissimo. Mijn keeper is foetsie!'
'Hoe bedoelt u?' vraagt Fritzi. 'Waar is hij nu?'
'Dat weet ik juist niet!' schreeuwt Duivendak. 'Er
was vandaag een training. Manelli komt altijd.
En altijd als eerste. Maar vanmorgen kwam er
niets, nada, noppes! We hebben een tijd zitten
wachten. Misschien is hij ziek geworden, dacht
ik. Hij was niet erg lekker de laatste tijd.'
Fritzi denkt snel na. Misschien heeft Manelli het
gif wel op de club binnengekregen. Misschien
wel van deze Duivendak! Hij doet nu heel
bezorgd, maar ís hij het ook?
'Heeft u hem gebeld?' vraagt Fritzi.
'Gebeld? Ik heb hem wel twintig keer gebeld.

Op zijn vaste telefoon, maar ook op zijn mobiel.
Maar hij neemt niet op. En dat is vreemd! Hij
heeft zijn mobiel altijd bij zich. Zelfs als hij staat
te keepen.' Ja, op die manier ga je ballen missen,
denkt Fritzi, maar dat zegt ze niet.
'Ik heb zijn vrouw Paula gebeld, in haar
kapsalon. Zij weet ook niet waar haar man is. Ik
zeg het u: hij is spoorloos verdwenen!'
'Het klinkt wel vreemd,' zegt Fritzi. 'En is hij
…' Op dat moment wordt er hard op de deur
gebonsd. Daarna vliegt de deur open. 'Hier is
…' begint Eddy, maar verder komt hij niet. Een
kleine blonde vrouw duwt hem aan de kant.
'Hier is Paula,' krijst ze. 'Ik wil mijn man terug!
U moet mijn man opsporen! Zo snel mogelijk!'
Fritzi steekt haar hand op en wijst naar een stoel.
Gaat u zitten, bedoelt ze.
'Meneer Duivendak, Paula komt hier zojuist
binnen.'
'Dat hoor ik,' zeg Duivendak. 'Nou sterkte dan
maar.' Dan hangt hij op.
Fritzi geeft Paula een hand. 'Eerst maar eens een
glas water?' vraagt ze. 'Liever een kopje koffie,'
zegt Paula. 'Een beetje sterk graag, niet zo'n
slappe bak.'
Weer is Eddy supersnel. Ook deze keer blijft hij
iets te lang staan.
'Het is goed zo, Eddy,' zegt Fritzi. 'Heerlijk die
koffie.' Zodra Eddy weg is begint Paula te praten.
'Mijn Manelli wilde gewoon naar de training
gaan. Ik zie hem nog staan met zijn sporttas.

Net als altijd, kuste ik hem achter zijn oren. Dan vangt hij veel beter.'

Fritzi trekt een vel papier naar zich toe en schrijft mee.

Kus achter oor, dan vangt hij beter.

'En daarna?' vraagt ze.

'Daarna gaf hij een zachte kus terug. Ik voel hem nog op mijn lippen branden!'

'Juist ja,' zegt Fritzi. 'En toen vertrok hij zeker?'

'Welnee!' zegt Paula. 'Hij zei nog lieve woordjes tegen me. Doet hij altijd. "Duifje, kuikentje, snoezeltje". Ik zal ze niet allemaal noemen.

'Nee!' zegt Fritzi. 'En wat gebeurde er toen?'

Paula zit met haar hoofd schuin, te dromen. 'Ik mis hem nu al verschrikkelijk!' jammert ze. 'Ik kan niet leven zonder mijn Manelli.'

'U kunt beter vertellen wat u weet,' zegt Fritzi. 'Dan kan ik zo snel mogelijk achter uw man aan.'

'Heeft u ook een zakdoek?' snift Paula. Fritzi trekt een rol wc-papier tevoorschijn. Ze scheurt een stuk af en geeft het aan Paula.

'Hij vertrok als altijd,' zegt Paula klaaglijk. 'Hij startte zijn auto en zwaaide. Dat is het laatste wat ik van hem gezien heb. Zijn wuivende hand door het open raampje.' Nu barst ze echt in tranen uit.

'Dus alles ging als altijd. Er was niets bijzonders aan de hand?' vraagt Fritzi.

'Niets!' zegt Paula. 'Anders had ik hem wel langer omhelsd. Als ik alles van tevoren geweten had.'

'Rustig maar,' zegt Fritzi. 'Misschien is hij

vanmiddag weer terug.'

'Mijn man is ontvoerd!' zegt Paula. Ze kijkt Fritzi bijna boos aan. 'Dat is toch duidelijk!'

'Door wie dan?' vraagt Fritzi.

'Dat gaat u uitzoeken, toch? Ik draai krulspelden in en u vangt boeven, dacht ik!'

'Maar misschien heeft u zelf een idee?'

'Hij heeft u toch verteld over die gele Waspa? En hoe ze vergif in zijn eten hebben gestopt?'

'Dat vergif weten we nog niet zeker,' zegt Fritzi. 'Het zat in elk geval niet in zijn pizza.'

'Mijn man heeft veel vijanden,' zucht Paula. 'Sommige voetballers zijn jaloers op hem. Anderen zijn nog steeds woedend omdat hij ooit een gouden bal van hen tegenhield.' Opeens springt ze op. 'Maar ik moet ervandoor. In mijn kapsalon zit een vrouw half in de krullen! Ik ben zo weggehold. Heeft dat mens rechts een bos krullen en links niets!'

'Ga maar gauw,' zegt Fritzi. 'Ik rij naar de club. Misschien hoor ik daar nog nieuwe dingen.'

6. Op onderzoek uit

Op het veld van Fortissimo is het doodstil.
Vreemd, denkt Fritzi. De wedstrijd komt eraan
en niemand is aan het trainen. Ze zijn wel
heel zelfverzekerd! Fritzi gaat op zoek naar de
kleedkamer. Die is niet moeilijk te vinden, zeg!
Ze kan gewoon haar neus achterna. Wat een
stank! De drogist heeft toch wel een middel
tegen zweetvoeten? En elke dag je sokken wassen
helpt ook. Hoe zou het hier ná de wedstrijd
ruiken!
De mannen zitten naast elkaar op de banken.
Ze praten zacht met elkaar. Telkens weer valt het
woord 'Manelli'. Maar zodra Fritzi binnenkomt
is het stil. Alle ogen draaien haar kant op.
'Vervelend voor jullie!' zegt Fritzi.
'Inderdaad!' roept een dunne jongen. 'Zonder
Manelli kunnen we beter in de kleedkamer
blijven zitten. Dat wordt niets!'
'We kunnen toch scoren?' oppert een ander.
'Maar dat doet Bonafida ook! We hebben
Manelli nodig om hun gemene ballen te
stoppen.'
'Blokhoofd is een goede vervanger,' zegt een
bleke jongen. Hij heeft een haarband om, omdat
zijn haar nogal lang is.
'Wie is Blokhoofd?' vraagt Fritzi, terwijl ze dat
best weet. Midas heeft het precies uitgelegd.
Maar ze wil weten waarom die jongen zo praat.

'Blokhoofd is onze tweede keeper. Maar Manelli is zó goed, dat hij altijd in het doel mag. Dus zit Blokhoofd altijd op de reservebank.'

'Zonder Manelli zijn we kansloos,' zegt de lange jongen.

Fritzi kijkt de rij langs. Zou één van deze aardige jongens weten waar Manelli is? Zou iemand hier iets te maken hebben met zijn verdwijning? Soms zijn de aardigste mensen de grootste boeven.

'Is meneer Duivendak aanwezig?' vraagt Fritzi. 'Hij zit daar aan de telefoon,' zegt de lange jongen. Hij wijst naar een gangetje. Fritzi loopt erheen en Duivendak komt haar al tegemoet.

'Bent u Fritzi?' vraagt hij. 'Jazeker,' zegt Fritzi. 'Ik heb zojuist met de jongens gesproken. Nu wil ik van u nog wat weten. Denkt u dat Manelli bang is voor de wedstrijd?'

'Bang voor de wedstrijd?' herhaalt Duivendak. Hij klinkt bijna boos. 'U hebt hem zeker nog nooit zien keepen! Manelli bang! Laat me niet lachen! Iedereen is bang voor hem! Hij wordt niet voor niets "de muur" genoemd. Zodra hij tussen de doelpalen staat, komt er geen bal over de streep. Dat weet iedereen!'

'Behalve als hij moet niezen,' zegt Fritzi. Ze wil laten merken dat ze verstand heeft van voetbal. 'Ja hoor, altijd maar die ene bal!' roept Duivendak.

'Nee,' zegt Fritzi snel. 'Ik weet dat hij honderd andere ballen gestopt heeft. Mijn zoon vindt Manelli een wereldkeeper.'

'Dat bedoel ik,' bromt Duivendak. Fritzi zucht. Die voetballers zijn snel chagrijnig, zeg! Eén woord over die niesbal en je krijgt ruzie.

'Ik zou eens bij Bonafida gaan rondkijken,' zegt Duivendak. Fritzi knikt. 'Dat stond al op mijn lijstje.' Fritzi groet en loopt het kleedhok uit. Nu staat er wel iemand op het veld. Een grote man met lange armen springt heen en weer in het doel. Hij tikt de bovenlat aan, hij tikt de grond aan. Hij duikt in een verre hoek. Vreemd, denkt Fritzi. Die is fanatiek aan het oefenen. Daar wil ze meer van weten. Met snelle passen loopt ze naar de man toe.

'U bent er helemaal klaar voor,' zegt Fritzi.

'Waarvoor?' vraagt de man. Hij krabt verlegen achter zijn oor.

'Voor de wedstrijd. U bent zeker de tweede keeper?'

'Dat klopt.' De man steekt een hand uit. 'Willem Blokhoofd.'

'U was eergisteren ook in De Zilveren Bal. Wat deed u daar eigenlijk?' Fritzi kijkt Blokhoofd streng aan.

'Hetzelfde wat u daar deed,' zegt Blokhoofd. 'Pizza eten.'

'Het bevalt u zeker wel, dat Manelli verdwenen is?'

'Ik vind het een buitenkans, dat ik mag invallen,' antwoordt Blokhoofd. 'Daar zal ik niet over liegen. Maar ik heb Manelli geen kwaad gedaan als u dat misschien dacht. Zo slecht ben ik niet.

Maar nou wil ik graag verder trainen. Over drie
dagen is het zover.'
'Misschien komt Manelli wel weer tevoorschijn,'
zegt Fritzi. 'Dan oefent u voor niets.'
'Dat merken we vanzelf,' zegt Blokhoofd. En
hopla! daar duikt hij in de linkerhoek. En baf!
daar ligt hij languit in de rechterhoek. Fritzi
slentert het veld weer af. Die Blokhoofd lijkt
zeker te weten dat Manelli niet terugkomt. Niet
binnen drie dagen in ieder geval. Waarom denkt
hij dat? Hoe weet hij dat zo zeker?

Voor het gebouw staat de lange jongen op Fritzi
te wachten. Hij kijkt schichtig om zich heen.
'Ik heb iets verzwegen,' fluistert hij. 'Een
paar dagen geleden hoorde ik onze trainer
opgewonden praten met Manelli. Of eigenlijk
schreeuwde hij tegen Manelli. Dat hij op zijn
allerbest moest spelen.'
'Dat moet hij toch ook?' vraagt Fritzi verbaasd.
'Jawel.' De lange jongen kijkt naar zijn schoenen.
'Maar dit gesprek klonk anders. Onze trainer zei
dat Manelli beslist geen bal door mocht laten.
Dat hij anders straf zou krijgen. Hij zou het
vanzelf wel merken. Of anders zijn vrouw en
kinderen. Dat is toch niet normaal?'
'Zeker niet!' zegt Fritzi. 'Die man is getikt! Hoe
durft hij zulke dingen te zeggen? En nu vermoed
jij dat Manelli gevlucht is?'
'Dat zou kunnen.'
'Dank je wel,' zegt Fritzi. Ze voelt een rimpel in

haar voorhoofd groeien. Deze zaak wordt steeds moeilijker. Is Manelli ontvoerd? Bijna klem gereden? Bijna vergiftigd? Of is hij op de vlucht geslagen? Eerst maar eens met die trainer praten.

7. Wij zijn supergoed geworden

De trainer van Fortissimo heeft een eigen kamer,
vlakbij de kleedkamers.
Fritzi bonst keihard op de deur.
'Binnen!'
Fritzi ziet een dikke man zitten met een breed
gezicht. Op wie lijkt hij toch? 'Ken ik u ergens
van?' vraagt Fritzi. Dan schiet het haar opeens te
binnen. Het mopshondje van de buren! Die heeft
ook zo'n brede kop. En die kijkt precies zo woest.
'Van de televisie misschien?' vraagt de man.
'Natuurlijk!' zegt Fritzi snel. Ze steekt haar pasje
naar voren. De man wijst haar meteen een stoel.
'Alles goed met uw elftal?' vraagt Fritzi.
'Het ging uitstekend,' zegt de man. 'Totdat
Manelli vertrok. Waar hangt die vent toch uit?'
'Dat vragen we ons allemaal af,' zegt Fritzi. 'Bent
u goed bevriend met hem?'
'Bevriend niet. Maar dat hoeft ook niet. Ik vind
het een prima keeper. Hij houdt alle ballen
tegen. Bíjna alle ballen.'
Niet opnieuw die niesbal, denkt Fritzi.
'Inderdaad,' zegt ze vlug. 'U vertrouwt dus
helemaal op hem?'
'Dat dééd ik wel! Maar nou is die mafketel
ervandoor!'
'Dat wordt nog onderzocht,' zegt Fritzi. 'Hoe
weet u zo zeker dat Manelli gevlucht is? Heeft
iemand hem soms bang gemaakt? U misschien?'

'Absoluut niet!'
'U heeft niets over straf gezegd? Als hij een bal
doorliet? Dat zijn vrouw het wel zou merken? Of
zijn kinderen?'
Nu kijkt de trainer vooral verbaasd. Hij begrijpt
natuurlijk niet hoe Fritzi dat weet. Jammer voor
hem, zij heeft nou eenmaal extra ogen en oren!
'Z-zulke d-dingen zeg ik niet,' hakkelt hij. 'Hoe
komt u daarbij?' Zijn oren worden knalrood.
Fritzi weet genoeg. Dat heeft die kerel dus wél
gezegd. Je hoeft maar naar zijn oorlellen te kijken
en je weet het!

Haastig zoekt Fritzi haar paarse Waspa weer
op. Hij glimt in het zonnetje. Wat zijn het toch
prachtige auto's. Al moet je natuurlijk nooit een
gele nemen. Een Waspa moet een felle kleur
hebben. Rood, groen of blauw maar het liefst
paars.
Voor Bonafida moet Fritzi naar een andere stad.
Fritzi zet haar TomTom aan en typt het adres van
Bonafida in. 'Réchts afslaan!' gilt de TomTom.
'Nu linksaf! En weer linksaf!' Fritzi begrijpt er
niets van. Ze staat op een koeienpaadje midden
in een weiland. Is dit wel de bedoeling? 'Na
honderd meter rechtsaf!' joelt de TomTom.
Hoe kan dat nou, denkt Fritzi. Dan eindig ik
tussen de koeien! Zou er soms iemand met
haar tomtom geknoeid hebben? Iemand die
wil voorkomen dat zij naar Bonafida gaat?
Dan kennen ze haar nog niet! Met een grote

zwaai slaat Fritzi rechtsaf. Ze komt op een bobbelweg. Een weg met bulten en kuilen.

Aan het eind ervan is een ketting. 'Eindpunt!' jubelt de TomTom. Geen Bonafida te zien, maar misschien zitten ze achter die bomen daar. Fritzi stapt uit en ploetert door het weiland. En jawel! Achter de bomen ligt een gebouw en naast dat gebouw is een voetbalveld! Bonafida heeft zich heel goed verstopt!

'Hij is gevlucht,' zegt de aanvoerder van Bonafida even later.

'Voor wie?' vraagt Fritzi.

'Voor ons natuurlijk! We zijn de laatste tijd heel sterk geworden. Hij is bang dat hij straks voor gek staat.'

De andere spelers van Bonafida knikken. 'Ja, wij zijn supergoed geworden,' zeggen ze.

'En ik laat geen bal meer passeren,' zegt een man met een grote neus. Zou dat die Pasternaak zijn? De man die Friedje zo leuk vindt? Die soms op het voetbalveld staat te huilen? Nu zit hij stoer met zijn armen over elkaar.

'Al staan ze vlak voor mijn doel,' zegt hij. 'Ik kijk naar hun ogen. Zodra ik zie waar ze willen gaan schieten, duik ik precies de goede kant op.'

'Vorige week kwam Manelli kijken,' zegt een speler. 'Dat vond ik bijzonder vreemd. Hij stond daar bij de ingang en je zag hem steeds witter worden.'

'Heel duidelijk!' zegt een ander. 'Volgens mij

kreeg hij buikpijn van de zenuwen.'
'Wij zijn nou eenmaal supergoed!' zegt een derde.
Fritzi kijkt van de een naar de ander. 'Misschien is Manelli ontvoerd,' zegt ze.
'Geen sprake van,' zegt Pasternaak meteen. 'Hij is gewoon doodsbang voor ons.'
'Omdat we zo ijzersterk zijn,' klinkt het van alle kanten. Fritzi staat op. Met Bonafida kun je nauwelijks praten, zeg. Is ze voor niets door de modder gebaggerd. Of houden ze haar hier voor de gek? Weet Bonafida er toch meer van?

8. Een zoemend hoofd

Fritzi is weer thuis. Midas komt meteen naar
haar toe. 'Ik heb een baantje!' roept hij. 'Een
baantje?' vraagt Fritzi. 'Weet je dat zeker?' Een
baan is niet altijd zo'n pretje, wilde ze zeggen.
Kijk maar naar haar! Haar laarsjes zitten onder
de modder. Haar voeten doen overal zeer. En
in haar hoofd zoemen de stemmen van die
voetballers.
'Natuurlijk weet ik het zeker!' roept Midas.
'Je raadt nooit waar.' Fritzi denkt na. 'Een
krantenwijk?' Midas schudt zijn hoofd. 'Bij
de bakker,' zegt Rens. Weer niet goed. 'Bij De
Zilveren Bal!' roept Frieda. 'Daar hing dat
briefje!' Midas knikt. 'Ik mag morgen beginnen.'
'Wat moet je doen?' vraagt Fritzi. Ze denkt aan
de keukenhulp die over de pizza's heen hoestte.
'Trek niet zo'n vies gezicht,' zegt Midas. 'Ik moet
groenten wassen en snijden en dingen op de
pizza's leggen. En als er veel klanten zijn, mag ik
misschien ook bedienen!'
'Klinkt niet slecht,' zegt Fritzi. Ze schopt haar
laarsjes uit en laat zich op de bank zakken. 'Even
een dutje, jongens. Straks ga ik koken.'
Frieda giechelt. 'Midas wilde alvast oefenen,' zegt
ze. 'Hij heeft iets klaargemaakt.'
'Je bent een schat,' zegt Fritzi.

Na het eten wil Fritzi graag naar het nieuws

kijken. Het gaat over de verdwijning van Manelli. Duivendak, de aanvoerder van Fortissimo komt in beeld. 'Het is een regelrechte ramp. Manelli is ontvoerd. Natuurlijk weten we niet wanneer hij terugkomt. Of hij terugkomt,' zegt hij. Daarna is Paula, de vrouw van Manelli aan de beurt. Dikke tranen biggelen over haar wangen. Ze kijkt recht in de camera en zegt: 'Ontvoerders, als u mij hoort: breng mijn Manelli weer terug! We missen hem verschrikkelijk! Ik kan niet zonder mijn man! Mijn kinderen kunnen niet zonder hun vader!' En dan klinkt er gehuil.

Ook de mannen van Bonafida mogen wat zeggen. Bij de zwarte krullen van Pasternaak begint Frieda te joelen. 'Mijn schatje!' roept ze. 'Manelli is gevlucht,' zegt Pasternaak. 'Doodsbang voor ons, omdat we beregoed geworden zijn.'

En tenslotte komt Blokhoofd, de tweede keeper, aan het woord. 'U vindt het zeker wel prima, dat Manelli verdwenen is,' vraagt de man van het nieuws. 'Ja! Ik bedoel: natuurlijk niet! Het is vreselijk!'

'Nu krijgt u een kans,' zegt de nieuwsman. 'Dat kan ik niet ontkennen. Ik zal ook beslist mijn uiterste best doen,' zegt Blokhoofd. 'Ik ben iedere dag aan het trainen. Ik voel dat ik alle ballen ga stoppen!' Zijn ogen glimmen. Hij heeft er bijzonder veel zin in. Zou hij er dan toch bij betrokken zijn, denkt Fritzi.

'Mam, zullen we sjoelen?' vraagt Rens. 'Graag!'
zegt Fritzi. Hier zou je toch kierewiet van
worden? Ze zat vandaag al de hele dag tussen
die voetballers. En dan 's avonds thuis weer dat
gekakel op de televisie! 'Zet dat ding alsjeblieft
uit,' zegt ze tegen Midas. 'Dan haal ik de sjoelbak
naar beneden. Ik zou maar vast bang worden.
Vanavond schuif ik ze er allemaal in, want ik ben
ijzersterk!'

9. Een pizza Manelli

De volgende dag fietst Midas naar De Zilveren
Bal. Hij is een beetje zenuwachtig. Stel je voor
dat hij een stapel borden laat vallen. Of, nog
erger, een bord met een pizza erop. Een pizza
voor Blokhoofd bijvoorbeeld. Dan ontslaan ze
hem meteen weer.
Midas maakt zijn fiets vast en loopt het
restaurant binnen. Er zitten nog maar weinig
mensen aan de tafeltjes.
In de keuken staat de kok al op hem te wachten.
Hij geeft Midas een keurig gestreken schort en
een muts. 'Moet dat echt?' vraagt Midas. 'Jazeker,
anders vallen er haren tussen de groenten,' zegt
de kok. Midas beweegt zijn hoofd heel langzaam.
Het voelt vreemd, dat grote ding op zijn hoofd.
De kok wijst naar een grote bak met slabladeren.
Niet zo'n schaal zoals Fritzi gebruikt. Deze lijkt
het meeste op een badkuip! 'Moet dat allemaal
gewassen worden?' vraagt Midas. De kok knikt.
Dan begint Midas met de enorme groene berg.

Een uur later is hij klaar. Dan mag hij doorgaan
met een badkuip vol tomaten. Midas begint
het te begrijpen. Daarna is er ongetwijfeld een
badkuip vol paprika's. En dáárna … Precies!
Om Midas heen lopen steeds meer mensen. Ze
wassen en snijden ook. Of ze kneden deeg. Of ze
schuiven pizza's in grote hete ovens.

Het wordt steeds drukker in het restaurant. Soms gluurt Midas door het luikje van de keuken. Zit daar de trainer van Fortissimo? Die met dat knorrige gezicht? 'Niet zo loeren,' moppert de kok. Op dat moment rinkelt zijn mobiel.

De kok loopt naar een hoekje van de keuken. 'Een pizza Manelli?' vraagt hij. Zijn stem schiet de hoogte in. Midas doet een paar pasjes opzij. Hij zorgt dat hij steeds dichterbij komt. 'Die bakken we alleen voor de meester zelf. En daarbij: wij bezorgen nooit,' zegt de kok. 'Wij zijn een restaurant.'

Midas snijdt een tomaat keurig in plakjes. Maar zijn oren doen iets anders. Die horen alles. 'Een noodgeval?' vraagt de kok. 'Hoeveel euro zegt u? Allemaal voor mij? Dat verandert de zaak. Natuurlijk niet, niemand komt iets te weten. Twee keer zo groot als normaal. Komt voor mekaar. Ik stuur meteen een hulpje langs.'

Daarna gaat de kok als een razende aan het werk. Hij knijpt in het deeg, hij zwaait ermee, hij drukt het plat. Daarna legt hij er van alles op. Die pizza is afgeladen! Met een grijns schuift hij het hele zaakje in de oven.

Midas' hart bonst. Een pizza Manelli die bezorgd moet worden? Een kok die zijn mond moet houden? En die zich daar behoorlijk voor laat betalen? Dat kan toch maar één ding betekenen?

Een kwartier later tikt de kok Midas op zijn schouder. 'Wil jij een klusje doen?'

Bijna had Midas 'graag!' geroepen. Net op tijd
houdt hij zich in. 'Ja meneer,' zegt hij. 'Wat voor
klusje?'
'Er moet iets weggebracht worden,' zegt de kok
alsof dat heel normaal is. 'Praat er verder maar
met niemand over.' Hij pakt een grote witte doos
en wikkelt er een wollen sjaal omheen. 'Jij kunt
snel fietsen, toch? Want hij moet goed warm
blijven. Hier is het adres.' *Bredeweg 16* leest
Midas. Die weg ligt achter het voetbalveld! 'Dus
mondje dicht,' zegt de kok. 'Niets zeggen.'
'Tegen niemand,' fluistert Midas.

Buiten belt hij meteen met Fritzi. 'Je moet
onmiddellijk naar De Zilveren bal komen,' zegt
hij. 'Het is héél belangrijk.' Midas weet dat Fritzi
vaak tegenstribbelt als iemand over 'moeten'
begint. 'Moeten koude voeten,' zegt ze altijd.
Maar deze keer roept ze: 'Ik kom eraan!'

Fritzi zit juist bij Blokhoofd als Midas belt. Ze
heeft hem een strenge vraag gesteld. Maar ze
wacht niet op het antwoord. 'Een noodgeval,'
zegt ze. 'Ik moet ervandoor.' Ze bergt haar pen
en papier weg en geeft Blokhoofd een hand.
'U kunt me altijd vinden op het veld,' zegt
Blokhoofd. 'Tussen de doelpalen.' Die man is de
hele dag aan het oefenen, denkt Fritzi.
Dan holt ze naar haar Waspa. Vliegensvlug rijdt
ze naar De Zilveren Bal. Midas staat om de
hoek te wachten met een pizza. Snel stapt hij

in. 'Naar de Bredeweg,' zegt hij alsof Fritzi een
taxichauffeur is.
Meteen doet Midas zijn verhaal. 'Wát?' roept
Fritzi. Bijna rijdt ze door een rood licht. Ze moet
hard remmen om nog voor de streep te stoppen.
'Dus daarin zit een pizza Manelli? Voor een adres
op de Bredeweg? En die kok kreeg zwijggeld?'
'Ja!' zegt Midas. 'Wedden dat Manelli daar zit!'
roept Fritzi. Ze wiebelt zenuwachtig op haar
stoel. Ze moet haar best doen om goed te sturen.
Maar dan bedenkt ze iets. Als Manelli ontvoerd
is, zit die boef daar ook! Hij is zo vriendelijk
om pizza te bestellen, maar het blijft een boef!
Misschien heeft hij wel een pistool. 'Luister,' zegt
ze tegen Midas. 'Jij bezorgt die pizza en jij trekt
je onschuldigste gezicht. Jij hebt nog nooit van
een pizza Manelli gehoord. Ik blijf hier wachten
en ik bewaak het huis. Jou mag niets gebeuren.
Dat begrijp je toch?'

10. Hoe kan dat nou?

Midas loopt naar de deur. Met een trillende
vinger drukt hij op de bel. Meteen komt er
iemand aanlopen. De deur zwaait open en …
daar staat Pasternaak! Hè? Hoe kan dat?
'Geweldig, de pizza!'
'Maar u bent …' stamelt Midas. 'Pasternaak,
jawel. De beroemde keeper van Bonafida. Dat
had je niet verwacht!'
'Totaal niet!' zegt Midas. Hij voelt zich een grote
sukkel. Het was gewoon Pasternaak die een pizza
Manelli bestelde! Wat zal mama daarvan zeggen?
'Jij wilt natuurlijk een handtekening?' vraagt
Pasternaak. 'Nee, of graag!' zegt Midas. Hij
geeft hem straks wel aan Frieda. Pasternaak
scheurt een stukje van de pizzadoos. Hij trekt
een potlood uit zijn jasje. Op het reepje papier
schrijft hij *Pasternaak.*
'Deze envelop is voor de kok,' zegt hij. 'Vergeet
hem niet te geven.' Meteen slaat hij de deur
dicht.
Met gebogen hoofd loopt Midas terug. 'Sorry
mam,' zegt hij. 'Die pizza was niet voor Manelli!
Hij was voor Pasternaak.'
'Wat raar!' roept Fritzi uit. 'Die pizza bakken ze
toch alleen voor de meester! Dat zeiden ze die
avond in het restaurant tegen mij!' Midas haalt
zijn schouders op. 'Niets aan te doen,' zegt Fritzi
met een zucht. 'Jammer, ik dacht ook dat we beet

hadden. Kom gauw zitten.'
Fritzi start haar Waspa en rijdt langzaam de straat
uit. Maar dan trapt ze opeens keihard op haar
rem. 'Waarom zou Pasternaak een pizza Manelli
bestellen?' roept ze.
'Misschien denkt hij dat hij dan net zo goed
wordt als Manelli,' zegt Midas. 'Ja, óf hij bestelde
hem voor Manelli!' roept Fritzi uit. 'Misschien
heeft Pasternaak Manelli ontvoerd! Misschien
zit die arme Manelli gevangen daar boven in
dat huis!' Fritzi maakt een grote draai en rijdt
terug. Ze parkeert haar Waspa voor het huis van
Pasternaak. 'Deze keer ga ík naar binnen. Ik zeg
tegen Pasternaak dat ik nog meer vragen wil
stellen.'
Fritzi stapt uit. Ze slaat de deur van haar Waspa
met een klap achter zich dicht. Die Pasternaak
gaat raar opkijken! Ze belt harder dan ooit.
Weer is Pasternaak snel bij de deur. 'Bent u het?'
vraagt hij. Hij krijgt een kleur van schrik. 'Ik heb
nog wat dringende vragen voor u,' zegt Fritzi.
Meteen stapt ze naar voren. Ze duwt Pasternaak
half opzij. Kijk daar eens aan de kapstok. Dat
verbaast haar niks! Daar hangt de witte sjaal van
Manelli! Voordat Pasternaak iets kan zeggen,
loopt Fritzi door de gang naar achteren.
'Stoppen!' schreeuwt Pasternaak achter haar.
'Niet de kamer binnengaan!' Maar dat doet Fritzi
natuurlijk juist wel! Aan tafel neemt iemand juist
een grote hap van een supergrote pizza. Manelli!
'Wat een verrassing u hier te zien!' zegt Fritzi.

Manelli staart Fritzi aan. Het lijkt alsof hij niet blij verrast is háár te zien. Het lijkt eerder alsof hij schrikt! Die arme man, denkt Fritzi. Hij is totaal verward. Hij weet niets te zeggen. Al behandelt Pasternaak hem uitstekend. Hij mag gewoon hier aan tafel zijn pizza Manelli opeten. En hij is niet vastgebonden.

'Ik kom u bevrijden!' roept Fritzi. 'Even bellen naar het bureau, dan komen er agenten om Pasternaak mee te nemen.' Ze zoekt in haar zakken naar haar mobiel.

'Momentje,' zegt Pasternaak. Hij legt een hand op Fritzi's arm. Woest rukt Fritzi zich los. 'Waag het niet mij aan te raken …' begint ze.

Opeens ziet ze dat Pasternaak Manelli strak aankijkt. 'Vertel jij het aan de inspecteur of vertel ik het?' vraagt hij. Manelli krijgt een hoogrode kleur. 'Het was een plannetje van ons samen,' zegt hij. Fritzi kijkt van Manelli naar Pasternaak. Wat bedoelt hij? 'Ik héb Manelli ontvoerd,' zegt Pasternaak. 'Maar hij ging vrijwillig mee.'

'U was dus toch bang?' vraagt Fritzi. 'Bang?' vraagt Manelli. 'Voor wie? Voor de bal? Ik stop alle ballen. Behalve dan die keer …'

'Ja, die beroemde niesbal,' zegt Fritzi. 'Maar hoe steekt het dan in elkaar?'

'Ik wilde Blokhoofd graag eens zien stuntelen,' zegt Manelli. Hij lacht met een gemene, scheve mond. 'Die vent heeft zoveel praatjes.'

'Hij oefent fanatiek,' zegt Fritzi.

'Maar dat zal hem weinig vooruit helpen,' zegt

Manelli. 'Zo goed als ik, wordt hij nooit.'
'En waarom vond u die ontvoering een goed idee?' vraagt Fritzi aan Pasternaak.
'Bonafida krijgt veel geld als wij winnen. Met Blokhoofd in het doel, schoppen we er met gemak vijf in. En dan zou ik Manelli een hoop geld geven.'
Fritzi begint het te begrijpen. De heren wilden doen alsof Manelli ontvoerd was. En ze zouden er allebei rijk van worden.
'Heel sportief!' zegt Fritzi boos. 'Een goed voorbeeld voor de jeugd! En denkt u dan absoluut niet aan de mensen die meedoen met de toto! Die zouden er allemaal naast zitten!'
Pasternaak en Manelli zeggen niets meer. Nu pakt Fritzi echt haar mobiel. Ze belt met bureau Raamgracht. En ze vraagt om een wagen met agenten. 'Bredeweg 16,' zegt ze. 'Het woonhuis van de heer Pasternaak. Jazeker, dat wás die beroemde keeper. Maar na vanavond is hij dat niet meer.'

Het duurt maar vijf minuten en dan staan ze voor de deur: vijf stoere agenten. Fritzi doet de deur open. 'De heren zitten in die kamer daar,' wijst ze.
De eerste agent loopt op Manelli af. 'Kunt u eerst nog even een handtekening zetten? Het is voor mijn zoon.'
'Bent u gek geworden?' zegt Fritzi. 'Sla die vent in de handboeien! En die andere ook!'

De agenten doen hun werk. Manelli en
Pasternaak worden in een grote blauwe auto
geduwd. Het zwaailicht en de sirene gaan aan.
Fritzi blijft ze nakijken totdat ze om de hoek
verdwenen zijn.

'Dat is opgelost,' zegt ze tegen Midas. Ze
vertelt hem wat er gebeurd is. 'Dus je had toch
gelijk!' 'Dankzij jou zijn die boeven gepakt.'
Midas aarzelt. Hij vindt het natuurlijk jammer
dat Manelli niet keept. Dat begrijpt Fritzi
wel. 'Gauw terug naar het restaurant,' zegt ze.
'Misschien vraagt de kok waarom je zo laat bent.
Geef hem dan maar mijn kaartje. Hij kan mij
morgen bellen. Op mijn bureau.'

11. De wedstrijd

Eindelijk is de grote avond aangebroken. De elftallen van Bonafida en Fortissimo rennen het veld op. In het doel van Fortissimo staat Blokhoofd. Of beter: hij springt heen en weer. Is die man nog steeds aan het oefenen? denkt Fritzi. Zo langzamerhand is hij toch wel klaar? Of heeft hij de zenuwen?

Maar wie er in het doel van Bonafida staat? Zelfs Midas heeft nog nooit van hem gehoord.

Fritzi zit met haar kinderen op de beste plaatsen. Hoog boven het voetbalveld zodat je alles goed kunt zien. Ze hebben zelfs lekkere drankjes voor hun neus.

Dan blaast de scheidsrechter op zijn fluitje. De eerste trap wordt gegeven. De bal komt meteen bij Fortissimo terecht. De spelers houden hem goed bij zich. Zo snel mogelijk hollen ze naar het doel van Bonafida. Er volgt een schot en … raak! Midas juicht. En dan juicht Frieda ook maar mee. Zonder Pasternaak vindt ze Bonafida niet meer zo geweldig. Maar Bonafida probeert terug te komen. Ze hebben de bal en nemen hem mee naar voren. Blokhoofd danst en springt in het doel. Eens kijken of hij echt in de goede hoek duikt, denkt Fritzi. Daar is een keiharde bal. Blokhoofd hoeft niet eens te duiken. Hij neemt de bal op zijn vuisten. 'Goed gehouden!' roept Midas.

59

Al gauw is er een tweede doelpunt voor Fortissimo. En daarna een derde. En een vierde. En een vijfde. Midas staat te dansen van plezier. 'Fortissimo wordt kampioen!' roept hij. 'Die keeper van Bonafida is de grootste sukkel die er bestaat!'

'Maar Blokhoofd is goed, hè?' zegt Fritzi. 'Veel beter dan ik dacht!' zegt Midas. Het is alsof Blokhoofd het hoort. Want precies op dat moment duikt hij in een hoek. In de goede hoek! Die man is een wonder! Hij stopt alle ballen. Nog vijf minuten te gaan. 5-0 is een mooie stand, denkt Fritzi. Maar wat zou het fantastisch zijn als …

Naast haar springt Midas een gat in de lucht. Daar is het zesde doelpunt. 6-0 voor Fortissimo. 'Ik heb gewonnen!' roept Midas. 'Ik ook!' roept Fritzi.

Frieda haalt een reep papier uit de zak van haar jas. Pasternaak staat erop. Ze maakt er een prop van en gooit hem weg. 'Toch heeft hij mooie zwarte krullen,' zegt ze. Maar dat hoort niemand. Want daar klinkt de fluit voor het einde. 'Hoera!' schreeuwt Midas. 'Lang leve Blokhoofd! Lang leve Fortissimo!'